folio benjamin

ISBN : 2-07-054798-1

Numéro d'édition: 14857

Loi n° 46-956 du 16 juillet 1949
sur les publications destinées à la jeunesse
Premier dépôt légal : octobre 2001
Dépôt légal : juillet 2002
Imprimé en Italie par Editoriale Lloyd
Réalisation Octavo

Henriette Bichonnier · Pef

Le monstre poilu

GALLIMARD JEUNESSE

Au milieu d'une sombre forêt,
dans une caverne humide et grise,
vivait un monstre poilu.
Il était laid ; il avait une tête énorme,
directement posée sur deux petits pieds
ridicules, ce qui l'empêchait de courir.
Il ne pouvait donc pas quitter sa caverne.

Il avait aussi une grande bouche,
deux petits yeux glauques, et deux longs
bras minces qui partaient de ses oreilles
et qui lui permettaient d'attraper les souris.

Le monstre avait des poils partout :
au nez, aux pieds, au dos, aux dents,
aux yeux, et ailleurs.

Ce monstre-là rêvait de manger des gens.
Tous les jours, il se postait sur le seuil
de sa caverne et disait,
avec des ricanements sinistres :
– Le premier qui passe, je le mange.

Mais jamais les gens ne passaient par là,
car la forêt était bien trop profonde
et bien trop sombre.
Et comme le monstre ne pouvait
pas courir, à cause de ses petits pieds
ridicules, il n'attrapait jamais personne.
Pourtant, avec patience, il continuait
à attendre et à dire :
– Le premier qui passe, je le mange.

Un jour, un roi chassait dans la forêt,
et il se perdit entre les arbres.
Il s'approcha par mégarde
de la caverne du monstre poilu.

Deux longs bras surgirent d'un coin sombre pour attraper le roi.
– Ha ! s'écria la vilaine bête, enfin quelque chose de meilleur à manger que les souris.

Et le monstre ouvrit une large bouche.
– Arrête ! arrête ! s'écria le roi,
je connais quelque chose de bien
meilleur que moi à manger.
– Et quoi ? demanda le monstre.
– Des enfants bien tendres, dit le roi.
– Ah ? dit le monstre.

Alors il attacha une grande ficelle
à la jambe du roi et dit qu'il voulait bien
le laisser partir s'il pouvait lui ramener
un enfant à manger. Le roi promit
qu'il reviendrait avec le premier gamin
qu'il rencontrerait.
– Attention, ajouta le monstre poilu,
si tu essaies de me tromper, je tire sur
la ficelle et je te ramène ici. Compris ?
– Compris, dit le roi.

Il monta sur son cheval et galopa
jusqu'à l'orée de la forêt. Là il s'arrêta,
sortit une grande paire de ciseaux
de sa sacoche et essaya de couper
la ficelle qui le rattachait au monstre.
Mais il fut bien surpris : la ficelle était
impossible à couper.

– Ha ! ha ! ricana le monstre au loin, n'essaie pas de me tromper.
Désolé, le roi se remit en route.
Il traversa bientôt un village, espérant y rencontrer un gamin. Mais il fut bien déçu : dans les rues, il n'y avait personne, tous les enfants étaient à l'école.

Alors, le roi continua à galoper,
avec sa ficelle toujours attachée au pied.
En arrivant près de son château,
il vit enfin une fillette qui courait devant
lui au milieu du chemin.
– Ah ! se dit-il, voilà tout à fait ce qu'il me
faut !

Mais quelle ne fut pas sa surprise
lorsqu'il vit, en s'approchant,
que la fillette en question était sa propre
fille, la petite Lucile, qui s'était échappée
du château pour aller s'acheter
des malabars.

Furieux, le roi la gronda :
– Je t'avais interdit de manger
des malabars ! Et je t'avais aussi interdit
de sortir du château. Ah ! si tu savais...
Et il raconta la promesse
qu'il avait faite
au monstre.

À l'autre bout de la ficelle, dans sa caverne humide et grise, le monstre entendait tout grâce à son écouteur.
– Hahahaha ! ricanait-il,
pas d'entourloupette ! Je veux cette petite fille tout de suite. Sinon…

Le roi se mit à pleurer et la petite Lucile dut le consoler :
– Ne pleure pas papa, dit-elle, je veux bien aller chez le monstre me faire manger.

– Ah ! malheureuse, sanglota le père.
Hahahaha !
Il fit monter la petite fille sur son cheval
et retourna à la caverne, d'où le monstre
le guidait en tirant sur la ficelle.

Arrivé là, il déposa sa fille en tremblant.
Le monstre détacha la ficelle
et ordonna au roi de partir tout de suite.
Puis il se tourna vers la fillette qui attendait
poliment, les mains derrière le dos.

– Haha ! s'écria le monstre, je vais te manger, mon petit lapin.
– Poil aux mains, dit Lucile.
– Quoi ? dit le monstre.

– Je dis : « Poil aux mains », parce que vous avez des poils aux mains, dit Lucile. (Et c'était tout à fait exact. Le monstre avait bien des poils aux mains, vu qu'il avait des poils partout.)

– Ça, par exemple ! dit le monstre, petite effrontée !
– Poil au nez ! dit Lucile.
Surpris, le monstre dut reconnaître qu'il avait aussi des poils au nez, puisqu'il était poilu partout. Mais comme il était en colère, il menaça la fillette.

– Je vais t'apprendre, moi !
– Poil aux doigts, dit Lucile.

– Tu vas le regretter !
– Poil aux pieds !

– C'est tout même
malheureux…
– Poil aux yeux !

– Attention,
je compte un…
– Poil aux mains !

– Deux...
– Poil aux yeux !

– Trois...
– Poil aux bras !

– Quatre !
– Poil aux pattes !

Le monstre, hors de lui, se roulait par terre de colère. C'était d'ailleurs très drôle à voir.
Maintenant, il hurlait :
– Ce ne sont pas des manières de princesse !
– Poil aux fesses !
– Maintenant, c'est fini !
– Poil au kiki !

Le monstre enrageait. La fureur le faisait
gonfler, gonfler, gonfler. Il enfla tant
et tant qu'à la fin il éclata de colère,
explosant en petits morceaux
qui s'envolèrent dans tous les sens
et devinrent des papillons multicolores
et des fleurs parfumées.

En dessous, sous la peau du vilain monstre poilu, apparut le petit garçon le plus mignon qu'on eût jamais vu.

– Je suis le prince charmant, poil aux dents, déclara-t-il avec un beau sourire.
Tu m'as délivré, poil au nez,
d'un mauvais sort, poil au corps,
qui me retenait prisonnier, poil aux pieds, depuis des années, poil au nez.
Merci, poil au kiki. Tu me plais beaucoup, poil au cou.
Veux-tu m'épouser, poil aux pieds,
nous serons heureux, poil aux yeux.

La petite fille trouva la proposition charmante. Elle accepta tout de suite et les deux enfants s'envolèrent sur le dos d'un papillon géant. À partir de ce jour, jamais plus, jamais plus, on n'entendit parler du monstre poilu.

Poil final.

L'AUTEUR

Henriette Bichonnier est née en 1943 à Clermont Ferrand. Depuis 1971, elle a écrit un peu plus d'une centaine de livres pour les enfants, traduits dans une douzaine de langues. À partir de 1980, inspirée par son fils Victor, elle introduit des blagues dans ses contes, ce qui a donné naissance au *Monstre Poilu*. Dans la même collection, toujours illustré par Pef, elle a publié aussi : *Le Roi des Bons*, *Le Retour du Monstre Poilu*. En Folio Cadet : *Les bobards d'Émile* (illustré par Henri Fellner) et *La Maison éléphant* (illustré par Pef). Elle tient aussi une rubrique de loisirs pour les enfants dans l'hebdomadaire *Télérama*. Quand elle n'écrit pas, elle apprend à nager en Grèce, elle visite l'Italie et elle adore manger de l'excellente pâtisserie.

L'ILLUSTRATEUR

Né en 1939, fils de maîtresse d'école, **Pef** a vécu toute son enfance enfermé dans diverses cours de récréation. Il a pratiqué les métiers les plus variés comme journaliste ou essayeur de voitures de course. À trente-huit ans et deux enfants, il dédie son premier livre *Moi, ma grand-mère*... à la sienne, qui se demande si seulement son petit-fils sera sérieux un jour. C'est ainsi qu'il devient auteur-illustrateur pour la joie des enfants et invente en 1980 le prince de Motordu, personnage qui devint rapidement une véritable star. Lorsqu'il veut raconter ses histoires, Pef utilise deux plumes, l'une écrit et l'autre dessine. Depuis près de vingt-cinq ans, collectionnant les succès, Pef parcourt inlassablement le monde entier à la recherche des glaçons et des billes de toutes les couleurs, de la Guyane à la Nouvelle-Calédonie, en passant par le Québec ou le Liban. Il se rend régulièrement dans les classes pour rencontrer son public à qui il enseigne la liberté, l'amitié et l'humour.

folio benjamin

Si tu as aimé cette histoire
d'Henriette Bichonnier
illustrée par Pef, découvre aussi :

Et dans la même collection :